はじめてのおんどくえほん　カ行音①

かえるくんとかたつむりくん

作　あきやまあつし
絵　のとやこまち

かえるとかたつむりが
かくれんぼ

かたつむりは、
たかいきのうえに
かくれたよ。

きのうえで
ことりが
きいろいきのみを
たべていたよ。

「こんにちは、
かたつむりくん。」

こえをきいて、
かえるはかたつむりを
みつけたよ。

「まけちゃった、
こうたいね。」

こんどは
かたつむりが
みつけるばんだよ。

「かえるくんとかたつむりくん」のねらい

○絵本として、お子さまに読み聞かせてあげてください。お子さまがひらがなを読めるようになると、興味をもって自分から音読するようになるでしょう。

○発音の音読絵本として、なかなかできなかった発音が、単音として発音でき、単語、文章として発音できるようになった時、そのあとはどうすればよいでしょうか。お子さまが伝えたいことを話す前に親子の会話の中で覚えた発音を直すことは、お子さまの話したい意欲をなくしてしまうことでしょう。発音できるようになった音を音読することで自然に会話の中でも発音できるようになることを、もうひとつの目的としています。

○「かえるくんとかたつむりくん」は、カ行音とサ行音が発音できなかったお子さまが、カ行音が発音できるようになった時に使います。絵本の文章には、サ行音が入っていません。サ行音を気にせずに音読できるように作りました。

（秋山 篤）

監修
おおなり てつお（大成 哲雄）

東京都に生まれる。聖徳大学教育学部教授。アーティスト。
「大地の芸術祭」などで発表。地域や教育機関などでアートプロジェクトを展開。近年は松戸市を中心に様々な人が楽しめるアートの研究を行っている。

作
あきやま あつし（秋山 篤）

京都市に生まれる。聖徳大学教育学部教授。言語聴覚士。
聾学校教員時代に修得した発音指導の技能を活かし、ことばの相談を行っている。就学前の幼児といかに楽しく発音の練習ができるかを模索している。

絵
のとや こまち（能登谷 小町）

青森市に生まれる。聖徳大学美術研究室副手。アーティスト。
イベントや展覧会での作品発表のほか、ワークショップやアート教室を行う。最近は動物をモチーフとしたキャラクター制作にハマっている。

かえるくんとかたつむりくん

2023年6月26日　初版発行

作：あきやま あつし　絵：のとや こまち
監修：おおなり てつお

発行所　株式会社　三恵社
〒462-0056　愛知県名古屋市北区中丸町2-24-1
TEL 052-915-5211　FAX 052-915-5019
URL https://www.sankeisha.com

ISBN 978-4-86693-789-2